VOCALIZZI

NELLO STILE MODERNO

CON ACCOMPAGNAMENTO DI PIANOFORTE

16 Vocalizzi per voce acuta

VOCALISES
IN THE MODERN STYLE
with piano accompaniment
16 Vocalises for high voice

VOCALISES
DANS LE STYLE MODERNE
avec accompagnement de piano
16 Vocalises pour voix élevée

RICORDI

E.R. 3024

SOMMARIO | CONTENTS
TABLE DES MATIÈRES

VOCALIZZI NELLO STILE MODERNO

con accompagnamento di pianoforte

16 Vocalizzi per voce acuta

VOCALISES IN THE MODERN STYLE
with piano accompaniment
16 Vocalises for high voice

VOCALISES DANS LE STYLE MODERNE
avec accompagnement de piano
16 Vocalises pour voix élevée

1

Franco Alfano

★) L'autore lascia piena libertà all'esecutore di prendere quei "fiati" che più convengono al carattere del vocalizzo, e alle proprie possibilità.

ER 3024

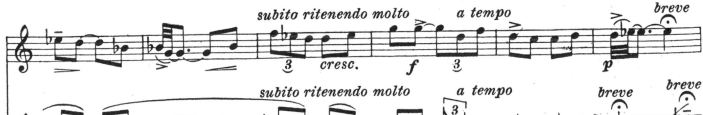

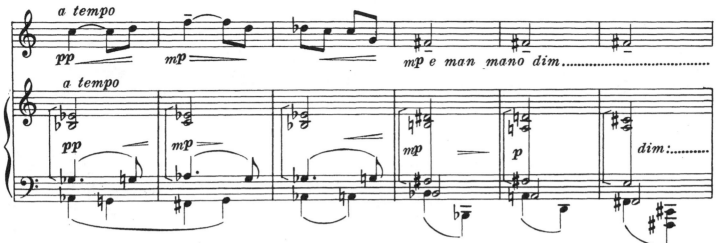

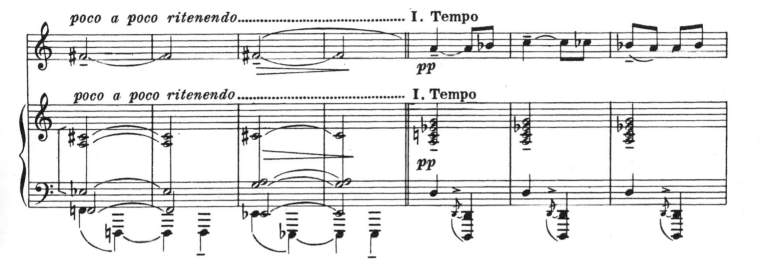

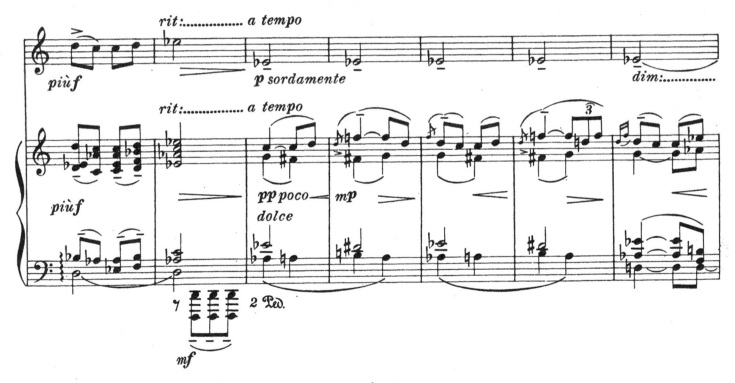

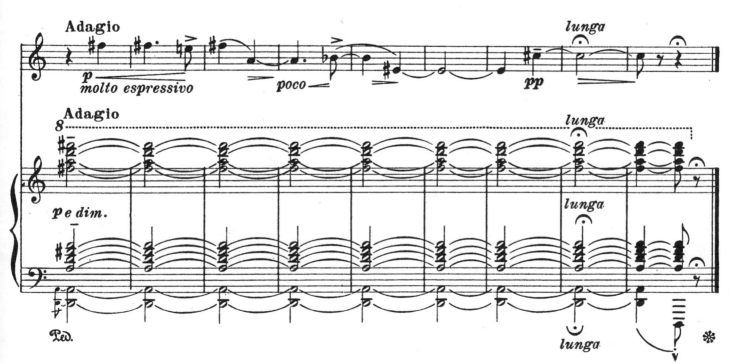

2

Francesco Cilèa

VOCE

Pianoforte

VAR. I.
Poco più mosso

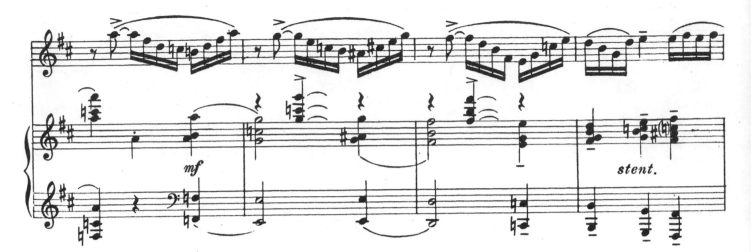

VAR. II.
Andante

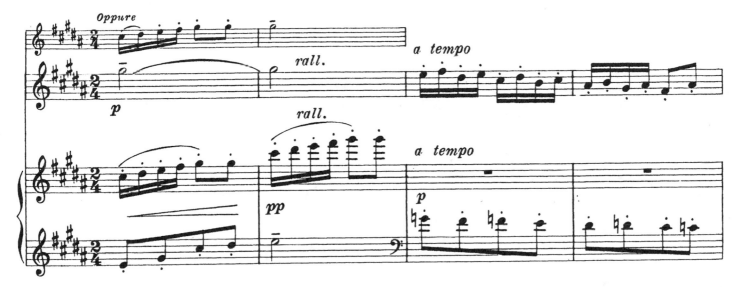

3

Umberto Giordano
(Esercizio di Scale)

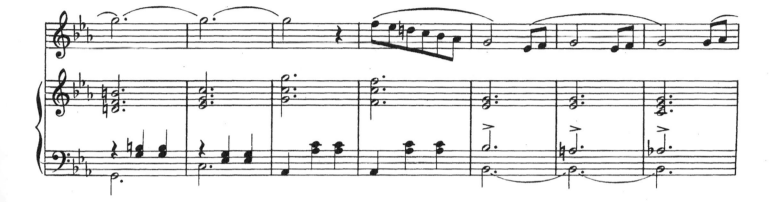

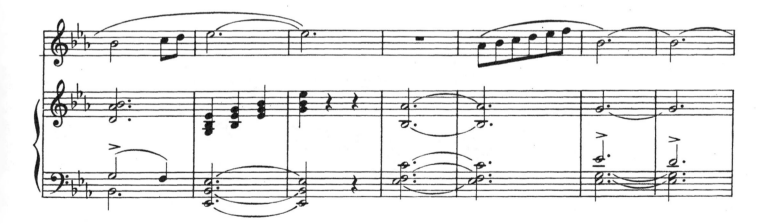

4

Gino Marinuzzi

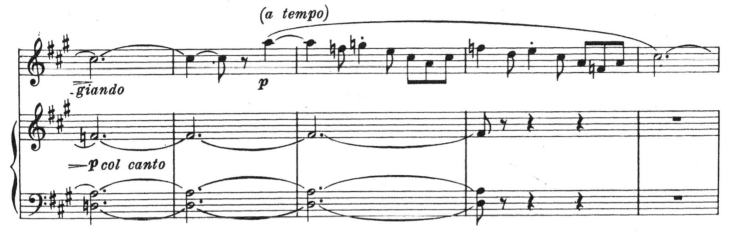

5

Arrigo Pedrollo

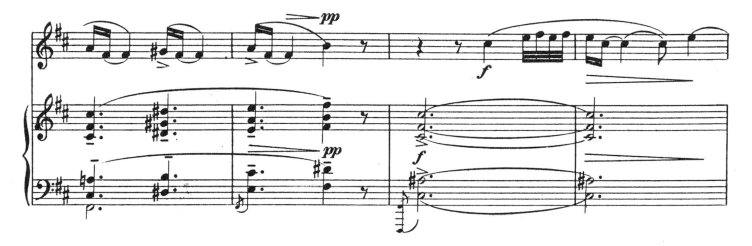

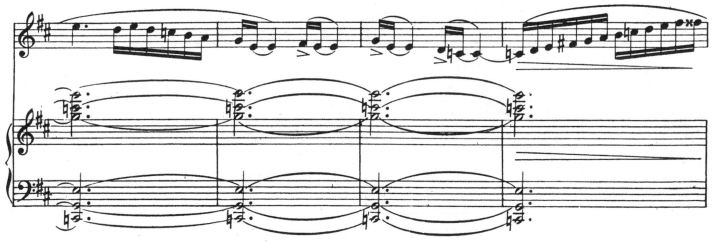

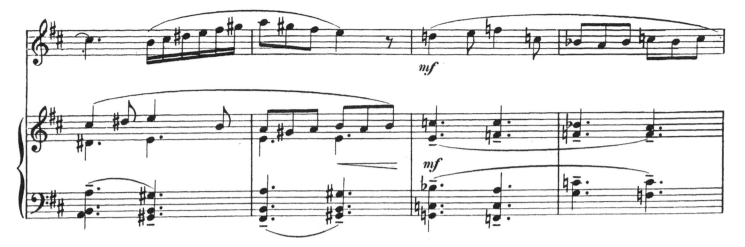

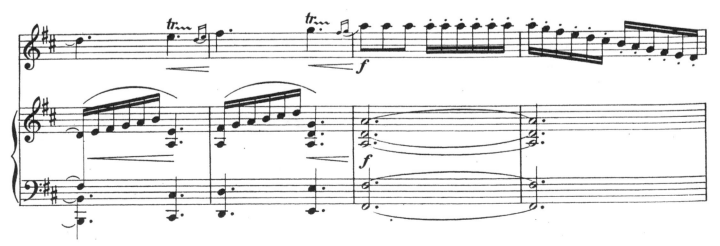

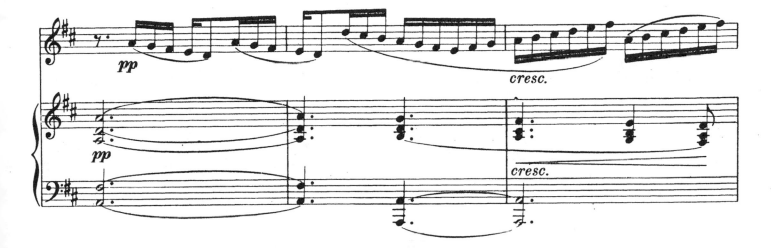

6 Riccardo Pick-Mangiagalli

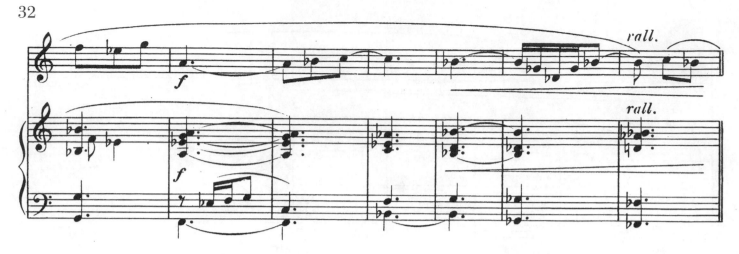

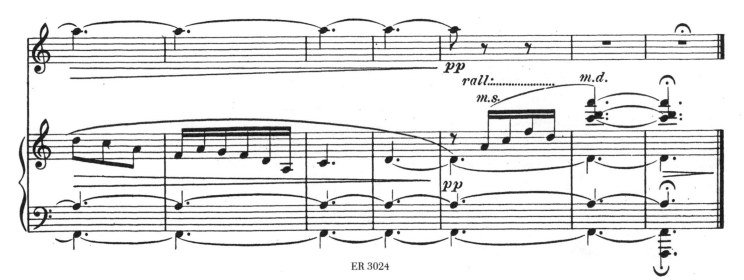

7

Ottorino Respighi

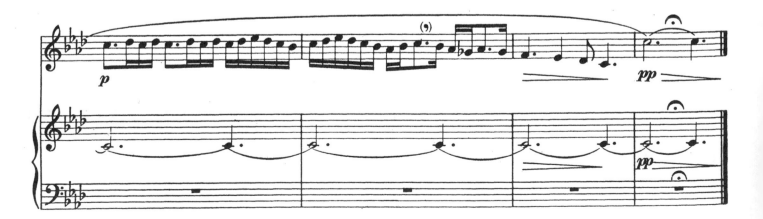

8

Vincenzo Tommasini

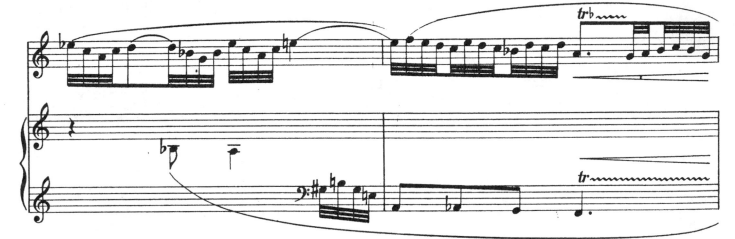

9

Alfredo Casella

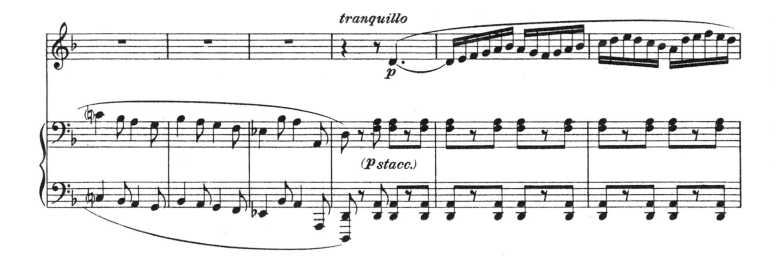

a Laura Pasini

10

Mario Castelnuovo-Tedesco
(1928)

«Pan ed Eco.»

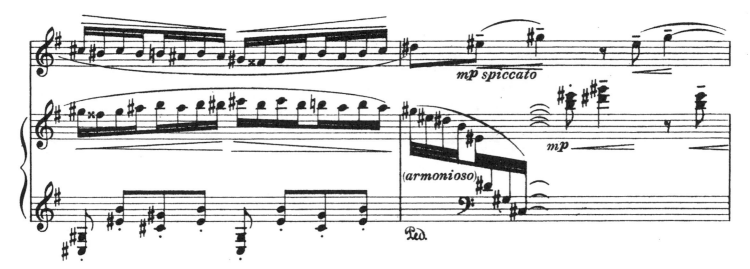

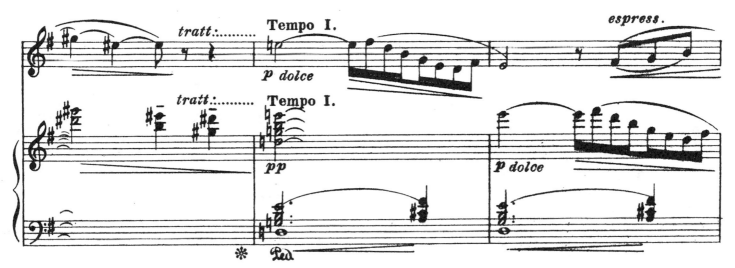

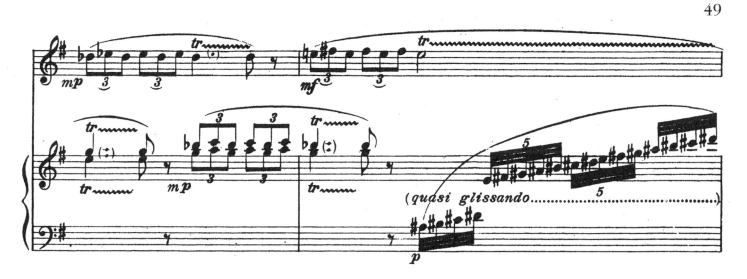

11

G. Francesco Malipiero

12

Giuseppe Mulè

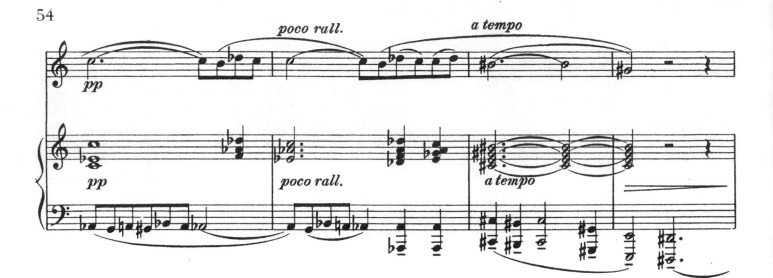

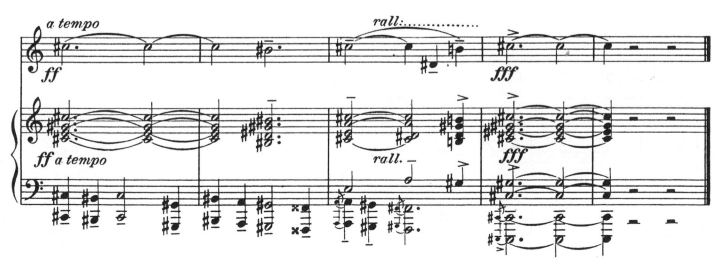

13

Ildebrando Pizzetti

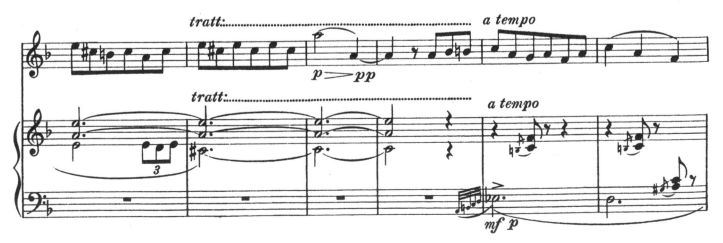

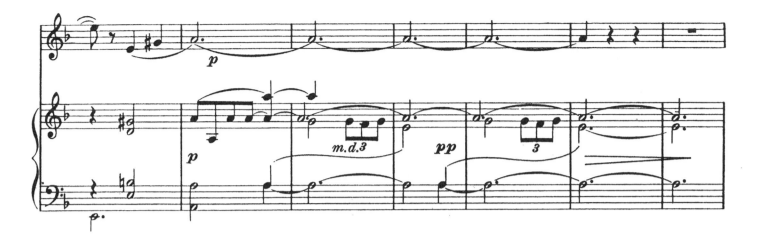

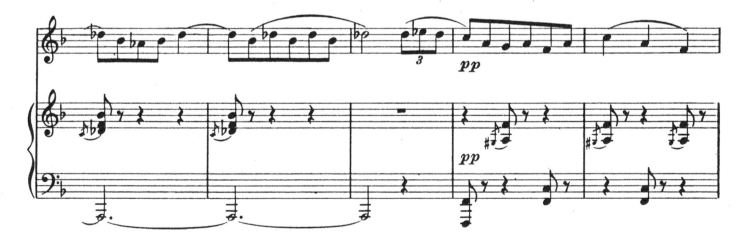

14

Ettore Pozzoli

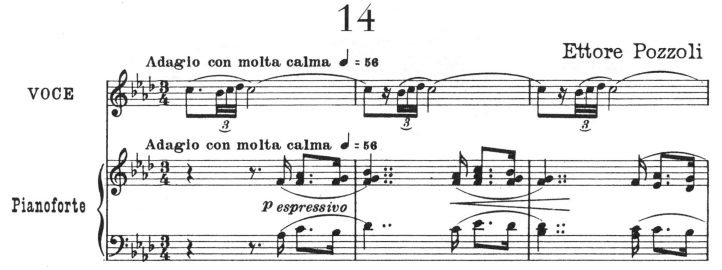

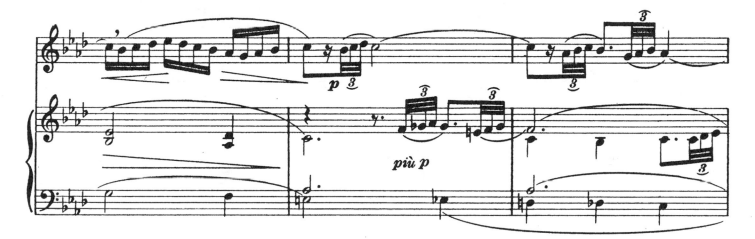

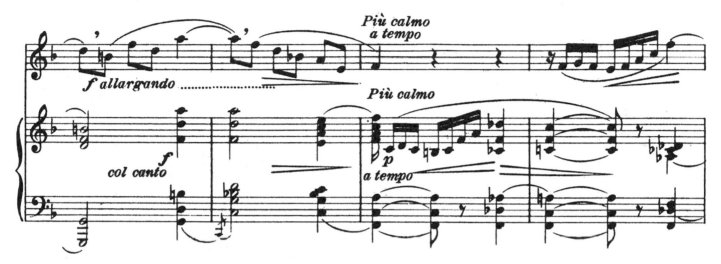

15

Franco Vittadini

16

Riccardo Zandonai